The Legend of . . .

The~Lambton Worm

Illustrated by Jorge Lulić

To my children
Clarita and Antonio
and all the bairns
in the world.

Listen lads, hold your gobs,
and I'll tell you all an awful story.
Listen lads, hold your gobs,
and I'll tell you about the worm . . .

One Sunday morning,
young Lambton went . . .

fishing in the river Wear.

And caught a fish upon his hook,
he thought looked very queer.

Just what kind of fish it was
young Lambton couldn't tell.
He was too lazy to carry it home
so he threw it in a well.

Young Lambton felt he'd like to go
and fight in foreign wars.
He joined a troop of knights that cared
for neither wounds nor scars,
and off he went to Palestine,
where strange things happened to him,
and very soon forgot about
the queer worm in the well.

But the worm got fat and grew and grew,
and grew an awful size.
He had great big teeth, and a great big
mouth and great big goggly eyes.
And when at night he crawled about
to pick up bits of news,
if he felt thirsty along the road,
he sucked a dozen cows.

This fearful worm would often feed
on calves and lambs and sheep,
and swallow little bairns alive
when they lay down to sleep.

And when the worm ate all he could
and he had had his fill,
he crawled away and lapped his tail
curled round Penshaw Hill.

The news of this most awful worm,
and his strange goings on, soon
crossed the seas and caught
the ears of brave and bold Sir John.

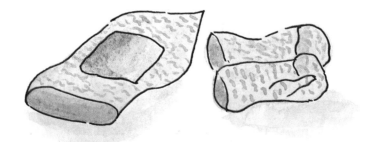

So home he came and caught
the beast and cut him in two
halves, and that soon stopped
him eating kids, and sheep
and lambs and calves.

So now you know how all the folks
on both sides of the Wear
lost lots of sheep and lots of sleep
and lived in mortal fear.
So let's all cheer for brave Sir John
who kept the kids from harm,
saved cows and calves by making halves
of the famous Lambton Worm.

A Local Ballad (Geordie Version)

On Sunday mornin Lambton went
Afishing in the Wear,
And catched a fish upon his heuk
He thowt leukt varry queer.
But whatnt kind oer fish it waas,
Young Lambton couldn't tell –
He waddnt fash tu carry it hyem,
So he hoyed it in a well.

CHORUS
Whisht lads, haad yer gobbs
An aa'll tell yer an aaful story,
Whisht lads, haad yer gobbs
An aa'll tell yer boot the worm.

Noo Lambton felt inclined to gann,
An fight in foreign wars,
He joined a troop of knights that cared,
For nowther wounds nor scars,
An off he went to Palestine,
Where queer things him befell,
An varry seun forgot aboot,
The queer worm in the well.

CHORUS
Whisht lads, haad yer gobbs
An aa'll tell yer an aaful story,
Whisht lads, haad yer gobbs
An aa'll tell yer boot the worm.

But thu worm got fat an growed and
Growed, an growed an aaful size.
Hee'd greet big teeth, and a greet
     big gobb,
An greet big goggly eyes.
An when at neet he craaled aboot
Ta pick up bits a' news,
If he felt dry upon the road,
He sucked a dozen coos.

CHORUS
Whisht lads, haad yer gobbs
An aa'll tell yer an aaful story,
Whisht lads, haad yer gobbs
An aa'll tell yer boot the worm.

This fearful worm waad often feed
On calves an lambs an sheep,
An swally little bairns alive
When they laid down to sleep.
An when he'd eaten aa'll he cud,
An he had hed his fill,
He craaled away an lapped his tail,
Curled many times roond the hill.

CHORUS
Whisht lads, haad yer gobbs
An aa'll tell yer an aaful story,
Whisht lads, haad yer gobbs
An aa'll tell yer boot the worm.

The nuws ov this most aaful worm,
An his queer gannins on,
Seun crossed the seas an got the ears
of brave and bold Sir John.
So hyem he came an catched the beast
An cut him in two halves,
An that seun stopped him eatin bairns,
An sheep an lambs an calves.

CHORUS
Whisht lads, haad yer gobbs
An aa'll tell yer an aaful story,
Whisht lads, haad yer gobbs
An aa'll tell yer boot the worm.

So now ye knaa hoo aal thu folks,
On byeth sides o'er the Wear,
Lost lots o' sheep and lots o' sleep
An lived in mortal fear,
So lets hev one te brave Sir John
That kept thu bairns frae harm,
Saved coos and calves by makin halves
Of the famous Lambton Worm.

CHORUS
Whisht lads, haad yer gobbs
An aa'll tell yer an aaful story,
Whisht lads, haad yer gobbs
An aa'll tell yer boot the worm.

"The Lambton Worm"

A Local Ballad (Geordie Version)

On Sunday mornin Lambton went
Afishing in the Wear,
And catched a fish upon his heuk
He thowt leukt varry queer.
But whatnt kind oer fish it waas,
Young Lambton couldn't tell –
He waddnt fash tu carry it hyem,
So he hoyed it in a well.

Chorus:
Whisht lads, haad yer gobbs
An aa'll tell yer an aaful story,
Whisht lads, haad yer gobbs
An aa'll tell yer boot the worm.

Noo Lambton felt inclined to gann
An fight in foreign wars,
He joined a troop of knights that cared
For nowther wounds nor scars,
An off he went to Palestine
Where queer things him befell,
An varry seun forgot aboot
The queer worm in the well.

Chorus:
Whisht lads, haad yer gobbs
An aa'll tell yer an aaful story,
Whisht lads, haad yer gobbs
An aa'll tell yer boot the worm.

But thu worm got fat an growed and
Growed, an growed an aaful size.
He'd greet big teeth and a greet big gobb
An greet big goggly eyes.
An when at neet he craaled aboot
Ta pick up bits a' news,
If he felt dry upon the road
He sucked a dozen coos.

Chorus:
Whisht lads, haad yer gobbs
An aa'll tell yer an aaful story,
Whisht lads, haad yer gobbs
An aa'll tell yer boot the worm.

This fearful worm waad often feed
On calves an lambs an sheep,
An swally little bairns alive
When they laid down to sleep.
An when he'd eaten aa'll he cud
An he had hed his fill,
He craaled away an lapped his tail
Curled many times roond the hill.

Chorus:
Whisht lads, haad yer gobbs
An aa'll tell yer an aaful story,
Whisht lads, haad yer gobbs
An aa'll tell yer boot the worm.

The nuws ov this most aaful worm
An his queer gannins on,
Seun crossed the seas an got the ears
Of brave and bold Sir John.
So hyem he came an catched the beast
An cut him in two halves,
An that seun stopped him eatin bairns
An sheep an lambs an calves.

Chorus:
Whisht lads, haad yer gobbs
An aa'll tell yer an aaful story,
Whisht lads, haad yer gobbs
An aa'll tell yer boot the worm.

So now ye knaa hoo aal thu folks
On byeth side o'er the Wear,
Lost lots o' sheep and lots o' sleep
An lived in mortal fear,
So lets hev one te brave Sir John
That kept thu bairns frae harm,
Saved coos and calves by makin halves
Of the famous Lambton Worm.

Chorus:
Whisht lads, haad yer gobbs
An aa'll tell yer an aaful story,
Whisht lads, haad yer gobbs
An aa'll tell yer boot the worm.